Dha Alan, le gaol

Foillseachadh Bloomsbury
Lunnainn, New Delhi, New Iorc agus Sydney

A' chiad fhoillseachadh sa Bheurla 2015 ann
am Breatainn le Foillseachadh Bloomsbury Plc,
50 Bedford Square, Lunnainn, WC1B 3DP

A' chiad fhoillseachadh sa Ghàidhlig an 2015 le Acair Earranta
An Tosgan, Rathad Shiophoirt, Steòrnabhagh, Eilean Leòdhais HS1 2SD

info@acairbooks.com   www.acairbooks.com

© an teacsa Ghàidhlig Acair, 2015
An tionndadh Gàidhlig Norma NicLeòid
An dealbhachadh sa Ghàidhlig Mairead Anna NicLeòid

Tha Acair a' faighinn taic bho Bhòrd na Gàidhlig.

Fhuair Urras Leabhraichean na h-Alba taic airgid bho Bhòrd na Gàidhlig
le foillseachadh nan leabhraichean Gàidhlig Bookbug.

Gheibhear clàr catalog CIP airson an leabhair seo ann an Leabharlann Bhreatainn.

LAGE/ISBN 978-0-86152-564-5

Clò-bhuailte ann an Sìona le Leo Paper Products, Heshan, Guangdong

1 3 5 7 9 10 8 6 4 2

Tha am pàipear a bhios Bloomsbury a' cleachdadh bho stuthan nàdarrach a ghabhas
ath-chuairteachadh, dèante le fiodh bho choilltean air an ceart-riaghladh.
Tha an dèanamh a rèir riaghailtean na dùthcha às an tàinig am fiodh.

www.bloomsbury.com

Tha BLOOMSBURY na chomharra malairt de Bloomsbury Publishing Plc

RALFAIDH RABAID

Mèirleach
nan Leabhraichean

le Emily MacKenzie

acair

Bidh cuid de rabaidean ag aisling
mu leatas agus mu churranan.

Bidh cuid eile ag aisling mu dhitheanan
de gach seòrsa.

Ach bha Ralfaidh caran beag **eadar-dhealaichte...**

'S ann a bhiodh Ralfaidh ag aisling mu **leabhraichean**.
Cha b' ann a-mhàin ag aisling mun deidhinn . . .
bha i airson a bhith a' leughadh fad na h-ùine.

SEO FÈIS
Biadh Math
Ceòl
Dannsa agus rabaidean!

Leabhraichean Ralfaidh

Air do Bhuidheagan,
a ghaoil

Leum Suas
Air an Leatas

Thoir dhomh do spòg

CURRAN CHAN FHAIGH MI

Snèap mhòr na
Glaodhaich

An fheadhainn
as fheàrr leam

Deilbh is Glasraich
is Faileasan

Bùrn is Curran
Geal is Aran

Gormshuil an Rìgh
is an Clòbhar

An oidhche
mus do
Sheòl na Rabaidean

100
Uinnean Furasta

Casan Currain
Searraich

Càl is Biotais
's am Beannachdan

Druim nam
Plumaisean
bho Thuath

Feadhainn a leughas mi dh'aithghearr

An Sailead Èiginneach

Cur is Dlùth is Biolaire

Rabaid Dhubh Dhrilseach

Asparagas aig Deireadh an Fhoghair

Ùbhlan a' dèanamh Sgèil do Churran

Agus dha Iain agus Màiri

Bounty agus Càl-colaig

Coirce is Feur a' Mhiseanaraidh

Feadhainn a dh'ainmicheas mi dham mhàthair

50 Sailead san Fhàsach

Ath-aithne air asparagas

Feannagan 'Ain Tuirc

Agus dham athair

Màiri Dhall a' buain nan dearcagan agus meannt eile

Shrapnel am measg nan toll-rabaid

Soilire is Cleas Sgàthain

Rinn i liostaichean dhe na leabhraichean a leugh i, agus na h-uimhir de churranan
ri taobh gach leabhar a rèir 's mar a chòrd iad rithe.

Rinn i liosta dhen h-uile leabhar a bha i ag **iarraidh** a leughadh
(a rèir an gnè).

Cha robh fiù nach do rinn i liosta leabhraichean a mholadh i dha teaghlach agus dha caraidean.

Muncaidh ì–ì–ì–ì–c!

Ùùùù
Àààà

A CHÀIRDEAN
AGUS A CHARAIDEAN!

Bu **toigh** le Ralfaidh facail ùra.
Bu **toigh** leatha fàileadh leabhraichean
agus **fuaim** nan **duilleagan** a' tionndadh.

Bu **toigh** leatha a bhith beò am broinn na stòiridh,
a' leigeil oirre gur ise sgiobair air **bàta** spùinneadairean,
no gur ise a bha a' siubhal gu dàna tro **dhlùth-choille**!

SEALLAIBH
ORMSA

SRIANAG

Sguis Craobhan

Tìgear

PITHEID

FEUR RÀN

SGREAD

LEABHRAICHEAN
MO GHAOIL

Gu dearbh,
bha **Ralfaidh**
CHO DÈIDHEIL
air leabhraichean . . .

agus gun do thòisich i a' liùgadh a-steach air an oidhche
dha na seòmraichean-cadail agus a' leughadh leabhraichean
nan daoine a bha nan **suain**.

S-S-S-S

S-S-S

S-S-S

S-S-S-S

S-S-S

S-S-S-S

Agus an uair sin thàinig aon rud gu rud eile.

Cha b' ann a-mhàin a' **leughadh** nan leabhraichean a bha Ralfaidh,
ach gan **toirt** dhachaigh leatha.

Bheireadh i leatha comaigs agus leabhraichean còcaireachd,
rinn i às le faclairean,
agus ghoid i nobhailean is leabhraichean bàrdachd.

Bha barrachd leabhraichean aig Ralfaidh airson an leughadh na bha aice a-riamh,
agus bha i air a dòigh.

Bu **toigh** le Artair a' bhith a' leughadh cuideachd.
Bha na sgeilpichean aige **loma-làn** de leabhraichean mu shithichean, agus a' cur
thairis le leabhraichean dathach eile. Nuair a thòisich **beàrnan** a' nochdadh
(agus pìosan churranan agus duilleagan leatais bog fliuch) agus nuair nach lorgadh e
LEABHAR MÒR NAN UILEBHEISTEAN,
mhothaich Artair.

LEABHRAICHEAN
BHEATHAICHEAN

LEABHRAICHEAN
CLASAIGEACH

LEABHRAICHEAN
OBRACH

Bha **CUIDEIGIN**
a' falbh le leabhraichean Artair!

LEABHRAICHEAN
UILEBHEISTEAN

LEABHRAICHEAN
FÀNAIS

LEABHRAICHEAN
EAGALACH
FEAGALACH

Toirdse mòr soilleir

Bha an t-àm ann faighinn a-mach CÒ!

Chruinnich Artair grunnan uidheaman
gus sin a dhèanamh, agus an uair sin
le **TEADAIDH** ri thaobh shuidh e san dorch
a' feitheamh . . . agus a' feitheamh.

CAMARA
LÀIDIR

Teadaidh

Blasad bìdh

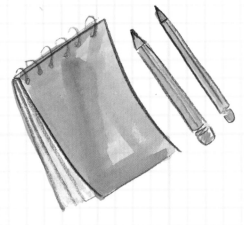

Pada is
Peansailean

Prosbaig

Cailc

TEIP
STEIGEACH

Cha robh e fada gus an cuala e **tàislich**.
Rug Artair sa **bhad** air a' chamara agus air a' phrosbaig.
Las e an toirdse a-steach dha na còrnairean –
agus cò a bh' ann **ach Ralfaidh!**

"**STAD!**
Thig air ais an seo,
a **mhèirlich**
rabaid,
ghlaodh Artair.

Ach bha cùisean air a dhol **ro fhada.**

Bha Artair às a chiall!

Dh'inns e dha mhàthair, ach 's ann a thòisich ise a' gàireachdainn.
"Rabaid a' goid?" ars ise.
"Artair, tha mi dhen bheachd gu bheil do cheann na bhroileis."

Dh'inns e dhan tidsear, ach 's e thuirt ise,
"Artair, theirig thusa agus smaoinich a-rithist
air gu dè a tha thu ag ràdh."

Leabhar MÒR NAN UILEBHEISTEAN

Gu dè a b' urrainn dha Artair a dhèanamh?

Bha an rasgal rabaid air an leabhar a b' fheàrr leis a fhuair e a-riamh a ghoid, agus cha chreideadh **duine** e!

Cha robh air ach **aon** rud …

'ALLÒ, 'ALLÒ, 'ALLÒ!

Dh'fhònaig Artair chun a' phoileas.

"Rabaid a' goid leabhraichean, tha thu ag ràdh. Uill, smaoinich thusa!
An robh dad sam bith annasach mun rabaid a bha seo?
An urrainn dhut beagan a bharrachd fiosrachaidh a thoirt dhomh?"
ars am poileas le gàire beag.

STÈISEAN POILIS

HA HA!

"Uill, bha i **donn**," thuirt Artair.
"le earball **molach** geal.
Ò, agus bha lèine-T oirre air an robh sgrìobhte
LEABHRAICHEAN MO GHAOIL."

Leig am poileas an uair sin lachan mòr gàire.
"Leigidh mi fios dhut ma gheibh sinn dad **a-mach**" ars esan.

HA! HA! HA! HA! HA HA

S-S

An oidhche sin bha Artair seachd sgìth
dhen h-uile rud a bh' ann.

Chaidh e dhan leabaidh às aonais stòiridh,
agus is gann gun do chaidil e idir.

Agus aig a' cheart àm, bha Ralfaidh air taigh eile a lorg
far am faodadh i leabhraichean gu leòr a ghoid ...

Ach an turas seo, bha Ralfaidh ann an trioblaid MHÒR.

Cò an taigh a bha seo, ach taigh a' phoilis!
"Uill, uill, uill," ars am poileas, "gu dè a th' againn an seo?
An dùil an e rabaid na mèirle a th' ann agus gun robh Artair ceart
fad na h-ùine?"

Dh'fhòn am poileas gu Artair sa bhad
a dh'innse dha gun teagamh sam bith
gun do rug e air a' mhèirleach.
"Thig thusa chun an stèisein a-màireach,
a' chiad char, gus an dèan sinn cinnteach
gu bheil an neach ceart againn," ars esan.

Furasta gu leòr! smaoinich Artair.
Chan eil rian gu bheil mòran rabaidean ann
air am bi lèine-T le
LEABHRAICHEAN MO GHAOIL!

Ach bha e CEÀRR. Cha robh Artair air uimhir siud de rabaidean
fhaicinn a-riamh, agus iad uile leis an aon lèine-T.
Bha seo gu bhith na bu duilghe na shaoil e.

Ach an uair sin phut am poileas putan mòr dearg. Abair thusa fuaim agus . . .

's ann a nochd crios fada gluasadach air beulaibh nan rabaidean,
le curranan agus leatas, ùbhlan agus dìtheanan. Thòisich iad uile ag ithe,
ach a-mhàin AONAN.

CRIOS-GLUASADACH

Cha robh ùidh sam bith aig Ralfaidh ann an gin dhiubh . . .

gus an do mhothaich i do rud a bha na shòlas dhi . . .

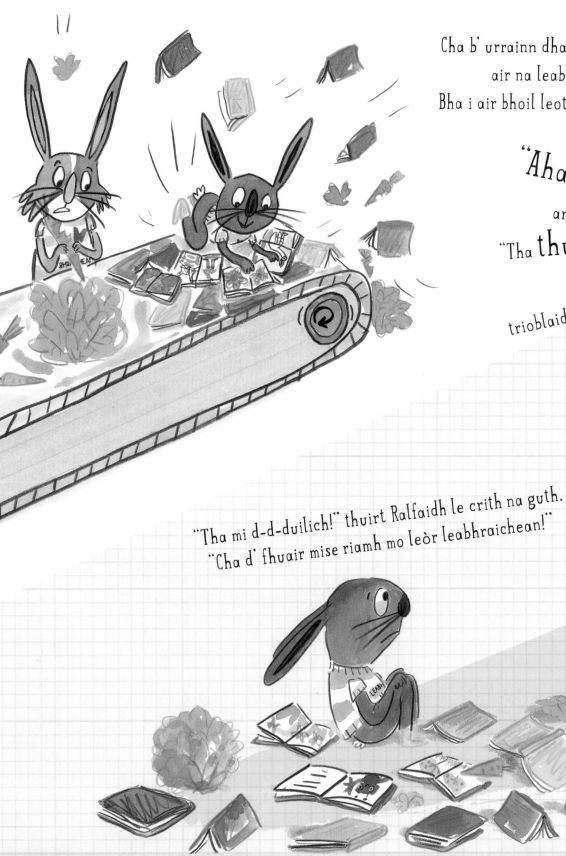

Cha b' urrainn dha Ralfaidh gun tòiseachadh
air na leabhraichean sa bhad.
Bha i air bhoil leotha, a' dol tromhpa le fruis.

"Aha! Tha thu agam!"
ars am poileas.
"Tha **thusa** ann an
trioblaid MHÒR!"

"Tha mi d-d-duilich!" thuirt Ralfaidh le crith na guth.
"Cha d' fhuair mise riamh mo leòr leabhraichean!"

"Chan fhaod thu bhith
gan goid mar sin,"
ars am poileas.
Feumaidh tu an cur
air ais gu lèir."

Thòisich Artair a' faireachdainn glè dhuilich airson Ralfaidh.
'S e gun robh a leithid de **ghaol** aice air leabhraichean a bu choireach gun d' fhuair i ann an trioblaid.

"Nam biodh tu ag iarraidh tòrr mòr leabhraichean fhaighinn air **iasad**," thuirt Artair,
"tha **deagh** fhios agamsa càit am faigheadh tu iad . . ."

Tha Ralfaidh agus Artair a-nis gu math càirdeil.

Is toigh leotha a bhith a' leughadh còmhla uair sam bith a gheibh iad.

Agus bidh iad an-còmhnaidh a' cur nan leabhraichean air ais.

'S e an **Leabharlann** an t-àite as fheàrr leotha!

Nota dhan leughadair

An ath thuras a bhios tu san leabharlann, cùm do shùil a-mach –

'S dòcha, dìreach 's dòcha, gum bi Ralfaidh agus Artair a' leughadh ann cuideachd.